하루 한 장 75일
지종 완성

교과 연산

A2

초1 받아올림이 있는
한 자리 수의 계산

변화를 정확히 이해해야 합니다.

수학의 기본이면서 이제는 필수가 된 연산 학습, 그런데 왜 우리 아이들은 많은 학습지를 풀고도 학교에 가면 연산 문제를 해결하지 못할까요?

지금 우리 아이들이 학습하는 교과서는 과거와는 많이 다릅니다. 단순 계산력을 확인하는 문제 대신 다양한 상황을 제시하고 상황에 맞게 문제를 해결하는 과정을 평가합니다. 그래서 단순히 계산하여 답을 내는 것보다 문장을 이해하고 상황을 판단하여 스스로 식을 세우고 문제를 해결하는 복합적인 사고 과정이 필요합니다.

그림을 보고 상황을 판단하는 능력, 그림을 보고 상황을 말로 표현하는 능력, 문장을 이해하는 능력 등 상황 판단 능력을 길러야 하는 이유입니다.

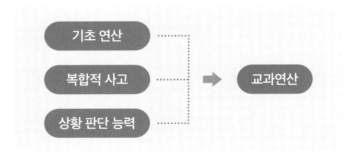

연산 원리를 학습함에 있어서도 대표적인 하나의 풀이 방법을 공식처럼 외우기만 해서는 지금의 연산 문제를 해결하기 어렵습니다. 연산 학습과 함께 다양한 방법으로 수를 분해하고 결합하는 과정, 즉 수 자체에 대한 학습도 병행되어야 합니다.

교과연산은 연산 학습과 함께 수 자체를 온전히 학습할 수 있도록 단계마다 '수특강'을 구성하고 있습니다. 계산은 문제를 해결하는 하나의 과정으로서의 의미가 큽니다.

학교에서 배우게 될 내용과 직접적으로 관련이 있는 교과연산으로 가장 먼저 시작하기를 추천드립니다. 요즘 연산은 교과 연산입니다.

"계산은 그 자체가 목적이 아닙니다. 문제를 해결하는 하나의 과정입니다."

하루 한 장, 75일에 완성하는 교과연산

한 단계는 총 4권으로 수를 학습하는 0권과 연산을 학습하는 1권, 2권, 3권으로 구성되어 있습니다.

수특강
25강

집중 교과연산
25일 25일 25일

수특강

수 영역은 연산과 뗄래야 뗄 수 없습니다. 수 영역을 제대로 학습하지 않고 연산만 한다면 연산 원리를 이해하는 데 부족함이 있습니다.
교과연산은 연산 학습을 하면서 반드시 필요한 수 영역을 수특강으로 해결합니다.

교과연산

기초 연산도 합니다. 연산 원리를 이해하고 계산 연습도 합니다. 그에 더해서 교과연산은 다양한 상황 문제를 제시하여 상황에 맞는 식을 세우고 문제를 해결하는 상황 판단 능력을 길러줍니다.

"연산을 이해하기 위해서는 수를 먼저 이해해야 합니다."

원리는 기본, 복합적 사고 문제까지 다루는 **교과연산**

원리
수와 연산의 원리를
이해하고 연습합니다.

복합적 사고
연산 원리를 이용하여
다양한 소재의 복합적
문제를 해결합니다.

상황 판단 문제
문장 이해력을 기르고
상황에 맞는 식을 세워
문제를 해결합니다.

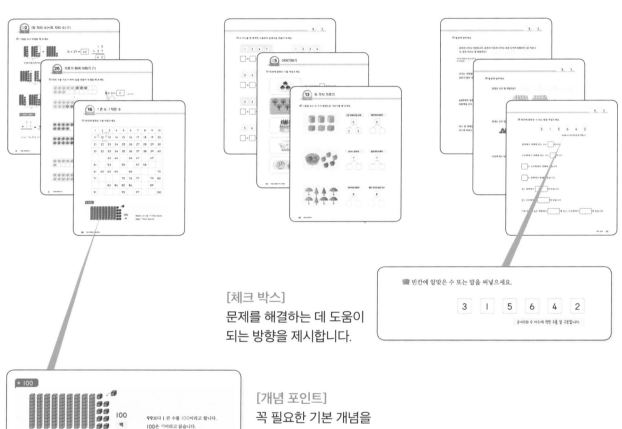

[체크 박스]
문제를 해결하는 데 도움이
되는 방향을 제시합니다.

[개념 포인트]
꼭 필요한 기본 개념을
설명합니다.

"교과연산은 꼬이고 꼬인 어려운 연산이 아닙니다.
일상 생활 속에서 상황을 판단하는 능력을 길러주는 연산입니다."

하루 **한** 장, 75일 집중 완성 교과연산 **묻고 답하기**

Q1 왜 교과연산인가요?

지금의 교과서는 과거의 교과서와는 많이 다릅니다. 하지만 아쉽게도 기존의 연산학습지는 과거의 연산 학습 방법을 그대로 답습하고 변화를 제대로 반영하지 못하고 있습니다. 교과연산은 교과서의 변화를 정확히 이해하고 체계적으로 학습을 할 수 있도록 안내합니다.

Q2 다른 연산 교재와 어떻게 다른가요?

교과연산은 변화된 교과서의 핵심 내용인 상황 판단 능력과 복합적 사고력을 길러주는 최신 연산 프로그램입니다. 또한 연산 학습의 바탕이 되는 '수'를 수특강으로 다루고 있어 수학의 기본이 되는 연산학습을 체계적으로 학습할 수 있습니다.

Q3 학교 진도와는 맞나요?

네, 교과연산은 학교 수업 진도와 최신 개정된 교과 단원에 맞추어 개발하였습니다.

Q4 단계 선택은 어떻게 해야 할까요?

권장 연령의 학습을 추천합니다.
다만, 처음 교과 연산을 시작하는 학생이라면 한 단계 낮추어 시작하는 것도 좋습니다.

Q5 '수특강'을 먼저 해야 하나요?

'수특강'을 가장 먼저 학습하는 것을 권장합니다. P단계를 예로 들어보면 P0(수특강)을 먼저 학습한 후 차례대로 P1~P3 학습을 진행합니다. '수특강'은 각 단계의 연산 원리와 개념을 정확하게 이해하고 상황 문제를 해결하는 데 디딤돌이 되어줄 것입니다.

이 책의 차례

1주차 (몇)+(몇)=(십몇) (1)

가르기 하여 더하기 (1)

📘 뒤의 수를 가르기 하여 10을 만들어 덧셈을 해 보세요.

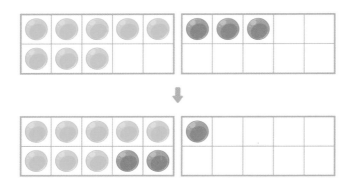

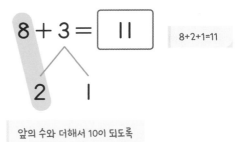

$8 + 3 =$ 〔 11 〕

8+2+1=11

앞의 수와 더해서 10이 되도록
뒤의 수를 가르기 합니다.

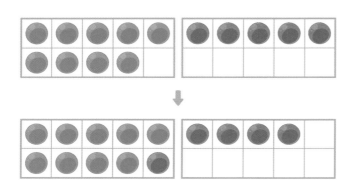

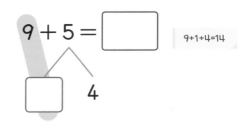

$9 + 5 =$

9+1+4=14

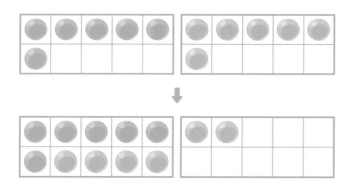

$6 + 6 =$

6+4+2=12

덧셈을 해 보세요.

$9 + 3 = \boxed{}$

$6 + 5 = \boxed{}$

$7 + 6 = \boxed{}$

$8 + 4 = \boxed{}$

$9 + 7 = \boxed{}$

$8 + 5 = \boxed{}$

$7 + 4 = \boxed{}$

$9 + 6 = \boxed{}$

$8 + 7 = \boxed{}$

$7 + 5 = \boxed{}$

$9 + 2 = \boxed{}$

$8 + 6 = \boxed{}$

$8 + 8 = \boxed{}$

$9 + 5 = \boxed{}$

27 일 가르기 하여 더하기 (2)

📑 앞의 수를 가르기 하여 10을 만들어 덧셈을 해 보세요.

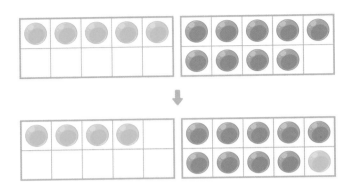

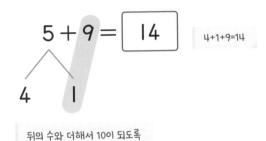

$$5 + 9 = \boxed{14}$$

4   1

4+1+9=14

뒤의 수와 더해서 10이 되도록
앞의 수를 가르기 합니다.

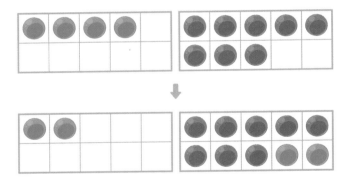

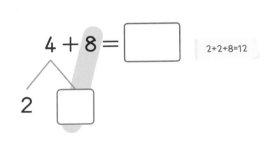

$$4 + 8 = \boxed{}$$

2   ☐

2+2+8=12

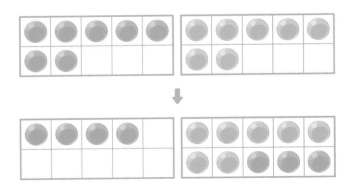

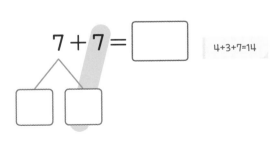

$$7 + 7 = \boxed{}$$

☐   ☐

4+3+7=14

■ 덧셈을 해 보세요.

$3 + 9 =$ ☐

작은 수를 가르기 하여 10을 만드는 것이 편리합니다.

2 1

$5 + 8 =$ ☐

3 2

$5 + 7 =$ ☐

$6 + 9 =$ ☐

$5 + 6 =$ ☐

$4 + 8 =$ ☐

$7 + 9 =$ ☐

$6 + 8 =$ ☐

$6 + 7 =$ ☐

$5 + 6 =$ ☐

$9 + 9 =$ ☐

$7 + 8 =$ ☐

$7 + 4 =$ ☐

$8 + 9 =$ ☐

10 만들어 더하기

■ 빈칸에 알맞은 수를 써넣으세요.

$9 + 3 = 9 + \boxed{1} + 2$

$= \boxed{10} + 2$

$= \boxed{12}$

작은 수를 두 수로 가르기 하여 10을 만듭니다.

$7 + 6 = 7 + \boxed{} + 3$

$= \boxed{} + 3$

$= \boxed{}$

$8 + 7 = 8 + 2 + \boxed{}$

$= 10 + \boxed{}$

$= \boxed{}$

$6 + 5 = 6 + 4 + \boxed{}$

$= 10 + \boxed{}$

$= \boxed{}$

$7 + 7 = 7 + \boxed{} + \boxed{}$

$= \boxed{} + 4$

$= \boxed{}$

$9 + 8 = 9 + \boxed{} + \boxed{}$

$= \boxed{} + 7$

$= \boxed{}$

빈칸에 알맞은 수를 써넣으세요.

$5 + 7 = 2 + \boxed{3} + 7$
$= 2 + \boxed{10}$
$= \boxed{12}$

(2, 3 아래 가지)

$6 + 8 = 4 + \boxed{} + 8$
$= 4 + \boxed{}$
$= \boxed{}$

$4 + 9 = \boxed{} + 1 + 9$
$= \boxed{} + 10$
$= \boxed{}$

$8 + 8 = \boxed{} + 2 + 8$
$= \boxed{} + 10$
$= \boxed{}$

$4 + 7 = \boxed{} + \boxed{} + 7$
$= 1 + \boxed{}$
$= \boxed{}$

$7 + 9 = \boxed{} + \boxed{} + 9$
$= 6 + \boxed{}$
$= \boxed{}$

덧셈을 해 보세요.

$5 + 6 =$ ☐

$5 + 7 =$ ☐

$5 + 8 =$ ☐

$5 + 9 =$ ☐

더하는 수가 1씩 커지면 합도 1씩 커집니다.

$4 + 9 =$ ☐

$5 + 9 =$ ☐

$6 + 9 =$ ☐

$7 + 9 =$ ☐

더해지는 수가 1씩 커지면 합도 1씩 커집니다.

$3 + 9 =$ ☐

$4 + 8 =$ ☐

$5 + 7 =$ ☐

$6 + 6 =$ ☐

$7 + 5 =$ ☐

앞의 더해지는 수가 1 커지고
뒤의 더하는 수가 1 작아지면 합은 같습니다.

$8 + 3 =$ ☐

$7 + 4 =$ ☐

$6 + 5 =$ ☐

$5 + 6 =$ ☐

$4 + 7 =$ ☐

■ 덧셈을 해 보세요.

+	4	5	6
8	12 8+4	13 8+5	14 8+6

+	5	6	7
5	10		

+	6	7	8
7		14	

+	2	3	4
9			13

+	6	7	8
6			

+	7	8	9
8			

+	5	6	7
9			

+	7	8	9
4			

30일 합이 같은 덧셈식

■ 합이 ☐ 안의 수인 덧셈식에 모두 ○표 하세요.

11 | 9+2 8+5 4+7 6+5 7+6 3+9

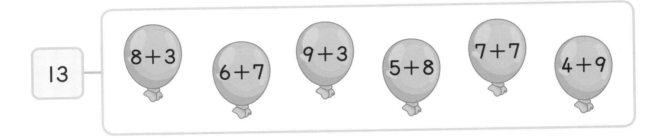

13 | 8+3 6+7 9+3 5+8 7+7 4+9

16 | 8+7 7+6 9+7 8+9 8+8 7+9

14 | 7+7 9+4 7+8 8+6 6+7 5+9

■ 빈칸에 알맞은 수를 써넣으세요.

$9 + 4 = 13$

$8 + 5 = 13$

$7 + \boxed{} = 13$

$6 + \boxed{} = 13$

$4 + 8 = 12$

$5 + 7 = 12$

$6 + \boxed{} = 12$

$7 + \boxed{} = 12$

$9 + 6 = 15$

$\boxed{} + 7 = 15$

$7 + \boxed{} = 15$

$\boxed{} + 9 = 15$

$6 + 8 = 14$

$7 + \boxed{} = 14$

$\boxed{} + 6 = 14$

$9 + \boxed{} = 14$

두 덧셈식의 합이 같습니다. 빈칸에 알맞은 수를 써넣으세요.

7 + 4 | 6 + [5]

7+4=11   6+5=11

앞의 수가 1 작아졌으므로
뒤의 수가 1 커지면 합이 같습니다.

8 + 7 | 7 + [ ]

6 + 8 | [ ] + 7

4 + 9 | [ ] + 8

7 + 7 | 8 + [ ]

8 + 4 | 9 + [ ]

9 + 5 | [ ] + 6

9 + 7 | [ ] + 8

3 + 8 | 5 + [ ]

7 + 5 | 5 + [ ]

2주차 (십몇)-(몇)=(몇) (1)

가르기 하여 빼기 (1)

🗂 뒤의 수를 가르기 하여 10을 만들어 뺄셈을 해 보세요.

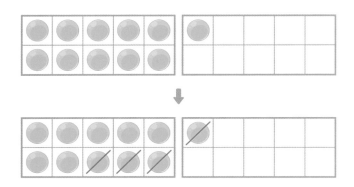

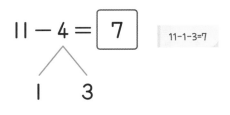

$$11 - 4 = \boxed{7}$$

11-1-3=7

앞의 수와 빼서 10이 되도록
뒤의 수를 가르기 합니다.

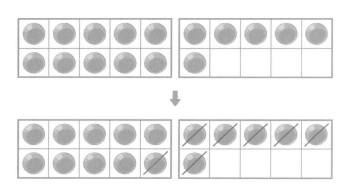

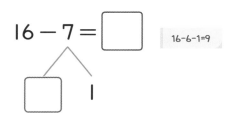

$$16 - 7 = \boxed{}$$

16-6-1=9

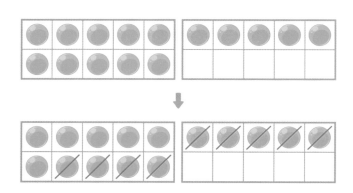

$$15 - 9 = \boxed{}$$

15-5-4=6

🗂 뺄셈을 해 보세요.

$12 - 4 = \boxed{}$

2 2

$14 - 5 = \boxed{}$

$12 - 5 = \boxed{}$

$11 - 5 = \boxed{}$

$15 - 6 = \boxed{}$

$13 - 7 = \boxed{}$

$16 - 8 = \boxed{}$

$13 - 8 = \boxed{}$

3 5

$11 - 3 = \boxed{}$

$14 - 8 = \boxed{}$

$13 - 9 = \boxed{}$

$12 - 7 = \boxed{}$

$11 - 9 = \boxed{}$

$14 - 7 = \boxed{}$

가르기 하여 빼기 (2)

📋 앞의 수를 가르기 하여 10을 만들어 뺄셈을 해 보세요.

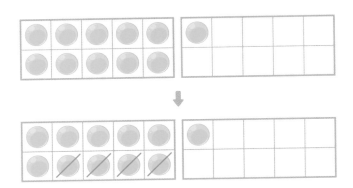

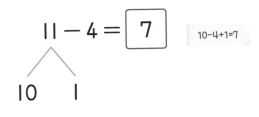

$11 - 4 = \boxed{7}$ 10-4+1=7

10   1

앞의 수를 10과 몇으로 가르기 한 다음
10에서 뒤의 수를 먼저 뺍니다.

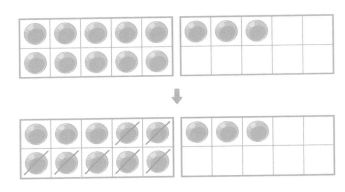

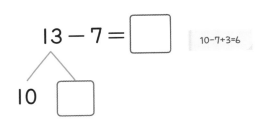

$13 - 7 = \boxed{}$ 10-7+3=6

10

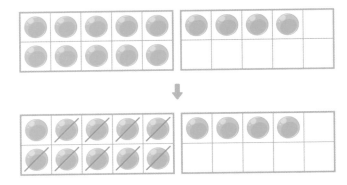

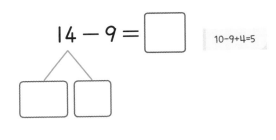

$14 - 9 = \boxed{}$ 10-9+4=5

뺄셈을 해 보세요.

$15 - 7 =$ ☐

$10 \quad 5$

앞의 수 또는 뒤의 수를 가르기 하여 뺄셈을 할 수 있습니다.

$17 - 8 =$ ☐

$10 \quad 7$

$14 - 8 =$ ☐

$12 - 7 =$ ☐

$11 - 9 =$ ☐

$13 - 5 =$ ☐

$15 - 6 =$ ☐

$16 - 8 =$ ☐

$11 - 5 =$ ☐

$13 - 9 =$ ☐

$12 - 8 =$ ☐

$14 - 7 =$ ☐

$13 - 6 =$ ☐

$18 - 9 =$ ☐

10 만들어 빼기

빈칸에 알맞은 수를 써넣으세요.

$$13 - 5 = 13 - \boxed{3} - 2$$
$$= \boxed{10} - 2$$
$$= \boxed{8}$$

앞의 수와 빼서 10이 되도록 뒤의 수를 가르기 합니다.

$$11 - 4 = 11 - \boxed{} - 3$$
$$= \boxed{} - 3$$
$$= \boxed{}$$

$$12 - 8 = 12 - \boxed{} - 6$$
$$= \boxed{} - 6$$
$$= \boxed{}$$

$$12 - 6 = 12 - 2 - \boxed{}$$
$$= 10 - \boxed{}$$
$$= \boxed{}$$

$$14 - 9 = 14 - 4 - \boxed{}$$
$$= 10 - \boxed{}$$
$$= \boxed{}$$

$$18 - 9 = 18 - 8 - \boxed{}$$
$$= 10 - \boxed{}$$
$$= \boxed{}$$

■ 빈칸에 알맞은 수를 써넣으세요.

$12 - 3 = 10 - 3 + \boxed{2}$

$\underset{10 \quad 2}{\wedge}$

$\quad\quad\quad = 7 + \boxed{2}$

$\quad\quad\quad = \boxed{9}$

앞의 수를 10과 몇으로 가르기 합니다.

$15 - 7 = 10 - 7 + \boxed{}$

$\quad\quad\quad = 3 + \boxed{}$

$\quad\quad\quad = \boxed{}$

$13 - 6 = 10 - 6 + \boxed{}$

$\quad\quad\quad = 4 + \boxed{}$

$\quad\quad\quad = \boxed{}$

$11 - 8 = \boxed{} - 8 + 1$

$\quad\quad\quad = \boxed{} + 1$

$\quad\quad\quad = \boxed{}$

$12 - 7 = \boxed{} - 7 + 2$

$\quad\quad\quad = \boxed{} + 2$

$\quad\quad\quad = \boxed{}$

$14 - 8 = \boxed{} - 8 + 4$

$\quad\quad\quad = \boxed{} + 4$

$\quad\quad\quad = \boxed{}$

연속 뺄셈

■ 뺄셈을 해 보세요.

$12 - 3 = \boxed{}$

$12 - 4 = \boxed{}$

$12 - 5 = \boxed{}$

$12 - 6 = \boxed{}$

빼는 수가 1씩 커지면 차는 1씩 작아집니다.

$13 - 9 = \boxed{}$

$13 - 8 = \boxed{}$

$13 - 7 = \boxed{}$

$13 - 6 = \boxed{}$

빼는 수가 1씩 작아지면 차는 1씩 커집니다.

$14 - 5 = \boxed{}$

$15 - 6 = \boxed{}$

$16 - 7 = \boxed{}$

$17 - 8 = \boxed{}$

$18 - 9 = \boxed{}$

앞의 빼지는 수와 뒤의 빼는 수를 똑같이 크게 하면 차는 변하지 않습니다.

$15 - 8 = \boxed{}$

$14 - 7 = \boxed{}$

$13 - 6 = \boxed{}$

$12 - 5 = \boxed{}$

$11 - 4 = \boxed{}$

🟦 뺄셈을 해 보세요.

―	3	4	5
11	8 (11-3)	7 (11-4)	6 (11-5)

―	7	8	9
13	6		

―	6	7	8
15		8	

―	5	6	7
12			5

―	7	8	9
16			

―	6	7	8
14			

―	6	7	8
11			

―	7	8	9
12			

차가 같은 뺄셈식

차가 ☐ 안의 수인 뺄셈식에 모두 ◯표 하세요.

9

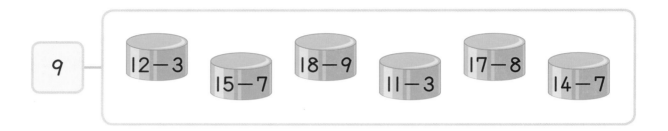

12 − 3 15 − 7 18 − 9 11 − 3 17 − 8 14 − 7

4

11 − 5 14 − 9 11 − 7 13 − 9 12 − 7 12 − 8

7

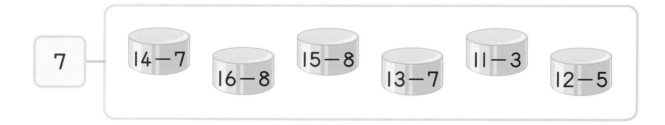

14 − 7 16 − 8 15 − 8 13 − 7 11 − 3 12 − 5

5

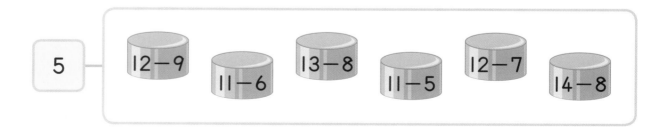

12 − 9 11 − 6 13 − 8 11 − 5 12 − 7 14 − 8

빈칸에 알맞은 수를 써넣으세요.

14 − 7 = 7

13 − 6 = 7

12 − ☐ = 7

11 − ☐ = 7

13 − 4 = 9

14 − 5 = 9

15 − ☐ = 9

16 − ☐ = 9

15 − 9 = 6

14 − ☐ = 6

☐ − 7 = 6

12 − ☐ = 6

14 − 6 = 8

☐ − 7 = 8

16 − ☐ = 8

☐ − 9 = 8

두 뺄셈식의 차가 같습니다. 빈칸에 알맞은 수를 써넣으세요.

$12 - 3$ | $13 - \boxed{4}$

12-3=9   13-4=9

앞의 수가 1 커졌으므로
뒤의 수도 1 커지면 차가 같습니다.

$14 - 8$ | $15 - \boxed{}$

$13 - 7$ | $\boxed{} - 8$

$11 - 6$ | $\boxed{} - 7$

$16 - 9$ | $15 - \boxed{}$

$12 - 4$ | $11 - \boxed{}$

$13 - 8$ | $\boxed{} - 7$

$18 - 9$ | $\boxed{} - 8$

$12 - 6$ | $14 - \boxed{}$

$13 - 7$ | $11 - \boxed{}$

3주차

(몇)+(몇)=(십몇) (2)

식 만들기

■ 세 수를 모두 이용하여 덧셈식 2개를 만들어 보세요.

9
11 2

$9 + 2 = 11$

두 수를 바꾸어 더해도 결과는 같습니다.

$\square + \square = \square$

8
5 13

$\square + \square = \square$　　$\square + \square = \square$

15
6 9

$\square + \square = \square$　　$\square + \square = \square$

6
14 8

$\square + \square = \square$　　$\square + \square = \square$

오른쪽 또는 아래로 덧셈식이 되는 세 수를 모두 찾아 아래와 같이 묶어 보세요.

8 +	4	9	8	17
3 =	2	6	5	12
11	9	6	14	8
5	5	12	7	6
7	6	13	4	14

5 + 7 = 12			4	9
1	7	6	14	3
8	9	16	5	12
12	16	8	5	13
6	9	9	18	6

커지는 합

합이 작은 것부터 차례로 점을 이어 보세요.

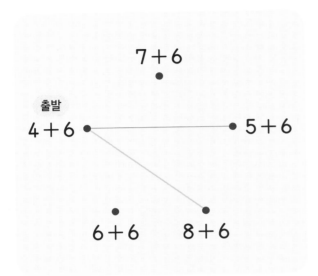

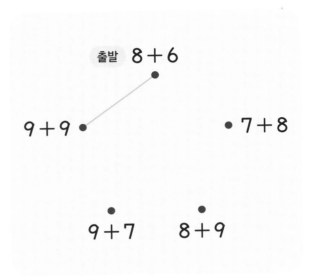

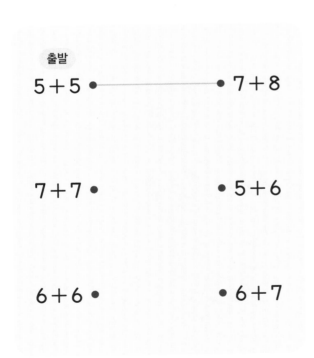

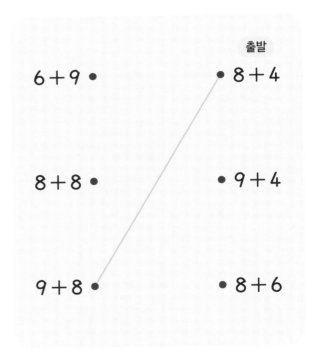

규칙을 찾아 빈 곳에 알맞은 식과 수를 써넣으세요.

5 + 4	5 + 5	5 + 6
9	10	11
6 + 4		6 + 6
10		12
7 + 4	7 + 5	
11	12	

6 + 5	6 + 6	
11	12	
7 + 5	7 + 6	7 + 7
12	13	14
	8 + 6	8 + 7
	14	15

3 + 7		3 + 9
10		12
	4 + 8	4 + 9
	12	13
5 + 7	5 + 8	5 + 9
12	13	14

7 + 7		7 + 9
14		16
8 + 7		8 + 9
15		17
9 + 7	9 + 8	9 + 9
16	17	18

■ 합이 가장 큰 식에 ○표, 가장 작은 식에 △표 하세요.

8+4	8+5
8+6	8+3

6+5	7+7
6+7	6+6

9+8	8+7
8+8	6+8

7+6	6+5
6+8	4+8

4+9	7+5
7+7	9+6

8+6	6+9
9+4	8+8

📘 수 카드 중 **2**장을 골라 써넣어 합이 가장 큰 식을 만들고 계산해 보세요.

| 2 | 4 | 5 | 8 |

$$\boxed{5} + \boxed{8} = \underline{\ 13\ }$$

더하는 두 수가 클수록 합이 커집니다.

| 6 | 3 | 4 | 9 |

$$\boxed{} + \boxed{} = \underline{\quad}$$

| 7 | 8 | 6 | 4 |

 $+$ $=$ _____

| 7 | 9 | 5 | 8 |

 $+$ $=$ _____

| 4 | 5 | 3 | 6 |

$$\boxed{} + \boxed{} = \underline{\quad}$$

| 6 | 5 | 3 | 8 |

$$\boxed{} + \boxed{} = \underline{\quad}$$

이야기하기 (1)

■ 물음에 답하세요.

바둑돌은 모두 몇 개일까요?

흰 바둑돌이 5개, 검은 바둑돌이 7개 있습니다. 바둑돌은 모두 12개입니다.

식 $\boxed{5}$ + $\boxed{}$ = $\boxed{}$ 답 $\boxed{}$ 개

색종이는 모두 몇 장일까요?

식 $\boxed{}$ + $\boxed{}$ = $\boxed{}$ 답 $\boxed{}$ 장

구슬은 모두 몇 개일까요?

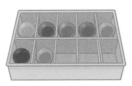

식 $\boxed{}$ + $\boxed{}$ = $\boxed{}$ 답 $\boxed{}$ 개

🔖 물음에 답하세요.

달걀은 모두 몇 개일까요?

식 ☐ + ☐ = ☐   답 ☐ 개

참새는 모두 몇 마리일까요?

식 ☐ + ☐ = ☐   답 ☐ 마리

교실에 있는 남학생과 여학생 수입니다. 교실에 있는 학생은 모두 몇 명일까요?

남학생	여학생
8명	9명

식 ☐ + ☐ = ☐   답 ☐ 명

◼ 물음에 답하세요.

버스에 **9**명이 타고 있었는데 **7**명이 더 탔습니다. 버스에 타고 있는 사람은 모두 몇 명일까요?

9명이 탄 버스에 7명이 더 탔으므로 버스에 탄 사람은 모두 16명입니다.

식 $9 + 7 = 16$ 답   16   명

민서는 색종이 **3**장을 가지고 있었는데 **8**장을 더 샀습니다. 민서가 가지고 있는 색종이는 모두 몇 장일까요?

식 _____ 답 _____ 장

노란색 색연필이 **6**자루, 파란색 색연필이 **7**자루 있습니다. 색연필은 모두 몇 자루 있을까요?

식 _____ 답 _____ 자루

바구니에 귤이 **8**개 담겨 있습니다. 귤 **4**개를 더 담는다면 바구니에 있는 귤은 모두 몇 개일까요?

식 _____ 답 _____ 개

📘 물음에 답하세요.

승진이는 사탕 6개를 가지고 있고 하민이는 승진이보다 6개 더 많이 가지고 있습니다. 하민이가 가진 사탕은 몇 개일까요?

식 _____ 답 _____ 개

개미의 다리는 6개, 거미의 다리는 8개입니다. 개미와 거미의 다리는 모두 몇 개일까요?

식 _____ 답 _____ 개

초 4개에 불이 붙어 있는데 7개에 불을 더 붙였습니다. 불이 붙어 있는 초는 모두 몇 개일까요?

식 _____ 답 _____ 개

우영이는 수 카드 2장을 가지고 있는데 모두 8이 적혀 있습니다. 수 카드에 적힌 수의 합은 얼마일까요?

식 _____ 답 _____

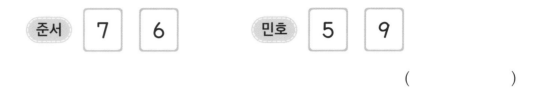

수 카드 2장에 적힌 수의 합이 큰 사람이 이깁니다. 물음에 답하세요.

준서는 수 카드 **7**과 **6**, 민호는 **5**와 **9**를 뽑았습니다. 이긴 사람은 누구일까요?

준서　7　6　　　민호　5　9

(　　　　　　)

하음이는 수 카드 **6**과 **8**을 뽑았습니다. 연지가 이기기 위해 뽑아야 하는 나머지 수 카드는 무엇일까요?

하음　6　8　　　5　7　6　9　4　　　연지　7

(　　　　　　)

은재는 수 카드 **5**와 **7**을 뽑았습니다. 다연이가 이기기 위해 뽑아야 하는 나머지 수 카드는 무엇일까요?

은재　5　7　　　2　1　4　5　3　　　다연　8

(　　　　　　)

■ 세 수를 모두 이용하여 뺄셈식 2개를 만들어 보세요.

12
5   7

$12 - 5 = 7$ $\boxed{} - \boxed{} = \boxed{}$

빼는 수와 결과를 바꾸어도 식을 만들 수 있습니다.

8
3   11

$\boxed{} - \boxed{} = \boxed{}$ $\boxed{} - \boxed{} = \boxed{}$

4
13   9

$\boxed{} - \boxed{} = \boxed{}$ $\boxed{} - \boxed{} = \boxed{}$

8
6   14

$\boxed{} - \boxed{} = \boxed{}$ $\boxed{} - \boxed{} = \boxed{}$

📖 오른쪽 또는 아래로 뺄셈식이 되는 세 수를 모두 찾아 아래와 같이 묶어 보세요.

(13 − 4 = 9)			12	8
3	11	7	4	13
15	2	12	6	4
6	8	5	9	9
9	16	8	8	2

12	9	13	5	8
−				
6	11	8	14	12
=				
6	5	12	9	4
13	6	6	5	7
15	7	8	13	5

커지는 차

🟦 차가 작은 것부터 차례로 점을 이어 보세요.

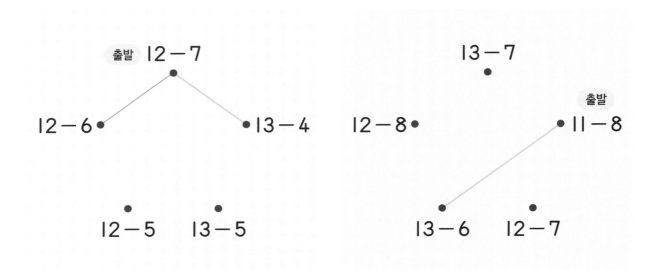

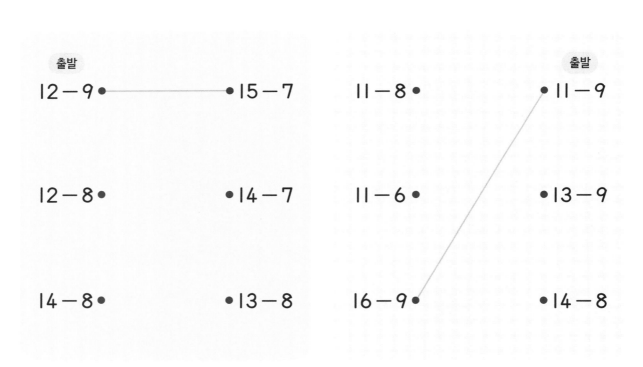

규칙을 찾아 빈 곳에 알맞은 식과 수를 써넣으세요.

11 − 4	11 − 5	11 − 6
7	6	5
12 − 4	12 − 5	
8	7	
13 − 4		13 − 6
9		7

12 − 6	12 − 7	12 − 8
6	5	4
13 − 6	13 − 7	13 − 8
7	6	5
14 − 6		
8		

11 − 7	11 − 8	11 − 9
4	3	2
12 − 7		12 − 9
5		3
13 − 7	13 − 8	
6	5	

14 − 7	14 − 8	
7	6	
15 − 7	15 − 8	15 − 9
8	7	6
	16 − 8	16 − 9
	8	7

큰 차, 작은 차

차가 가장 큰 식에 ○표, 가장 작은 식에 △표 하세요.

14 − 5	14 − 7
14 − 9	14 − 6

12 − 6	11 − 6
15 − 6	13 − 6

13 − 5	12 − 8
13 − 7	11 − 8

15 − 8	16 − 8
12 − 7	13 − 7

16 − 8	11 − 2
12 − 9	15 − 8

15 − 9	14 − 7
18 − 9	12 − 4

■ 수 카드 중 **2**장을 골라 써넣어 차가 가장 큰 식을 만들고 계산해 보세요.

| 5 | 12 | 7 | 13 |

$$\boxed{13} - \boxed{5} = \underline{8}$$

차가 크려면 큰 수에서 작은 수를 빼야 합니다.

| 11 | 14 | 5 | 9 |

$$\boxed{} - \boxed{} = \underline{}$$

| 8 | 9 | 13 | 12 |

$$\boxed{} - \boxed{} = \underline{}$$

| 12 | 4 | 11 | 6 |

$$\boxed{} - \boxed{} = \underline{}$$

| 15 | 9 | 14 | 7 |

$$\boxed{} - \boxed{} = \underline{}$$

| 7 | 14 | 8 | 13 |

$$\boxed{} - \boxed{} = \underline{}$$

📋 물음에 답하세요.

풍선 몇 개가 터졌습니다. 남아 있는 풍선은 몇 개일까요?

풍선이 13개 있었는데 6개 터져서
남은 풍선은 7개입니다.

식 $\boxed{13} - \boxed{} = \boxed{}$ 답 $\boxed{}$ 개

흰 바둑돌은 검은 바둑돌보다 몇 개 더 많을까요?

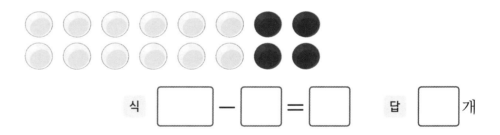

식 $\boxed{} - \boxed{} = \boxed{}$ 답 $\boxed{}$ 개

칸을 모두 색칠하려면 몇 칸 더 색칠해야 할까요?

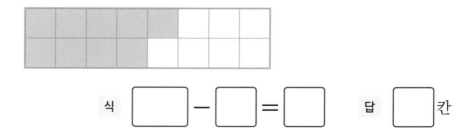

식 $\boxed{} - \boxed{} = \boxed{}$ 답 $\boxed{}$ 칸

물음에 답하세요.

야구공은 축구공보다 몇 개 더 많을까요?

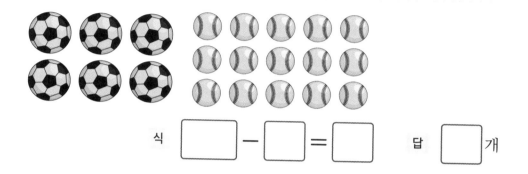

식 [ ] − [ ] = [ ]   답 [ ] 개

딸기를 상자 한 칸에 하나씩 담으면 상자에 담지 못하는 딸기는 몇 개일까요?

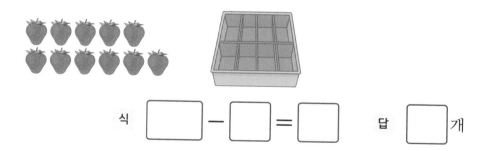

식 [ ] − [ ] = [ ]   답 [ ] 개

민우와 재아가 가진 사탕입니다. 민우는 재아보다 사탕을 몇 개 더 가지고 있을까요?

민우	재아
14개	7개

식 [ ] − [ ] = [ ]   답 [ ] 개

물음에 답하세요.

은재는 초콜릿 12개 중 3개를 먹었습니다. 남아 있는 초콜릿은 몇 개일까요?

초콜릿 12개 중 3개를 먹었으므로
남아 있는 초콜릿은 9개입니다.

식 $12 - 3 = 9$ 　　답 　9　 개

13명이 탈 수 있는 보트에 7명이 타고 있습니다. 보트에 몇 명 더 탈 수 있을까요?

식 _____　　답 _____ 명

지은이는 색연필 11자루를 가지고 있었는데 4자루를 친구에게 주었습니다. 지은이에게 남은 색연필은 몇 자루일까요?

식 _____　　답 _____ 자루

해수는 밤을 14개 땄고 진영이는 8개 땄습니다. 해수는 진영이보다 밤을 몇 개 더 땄을까요?

식 _____　　답 _____ 개

■ 물음에 답하세요.

색종이가 16장 있었는데 몇 장으로 종이비행기를 접었더니 9장 남았습니다. 종이비행기를 접는 데 사용한 색종이는 몇 장일까요?

식 _____　　답 _____ 장

동물원에 원숭이 6마리와 여우 15마리가 있습니다. 여우는 원숭이보다 몇 마리 더 많을까요?

식 _____　　답 _____ 마리

도윤이는 지우개를 12개 가지고 있고 은우는 도윤이보다 7개 적게 가지고 있습니다. 은우가 가진 지우개는 몇 개일까요?

식 _____　　답 _____ 개

지유는 바닥에 타일 18개를 붙이려고 합니다. 지금까지 9개 붙였다면 몇 개 더 붙여야 할까요?

식 _____　　답 _____ 개

■ 수 카드 2장에 적힌 수의 차가 큰 사람이 이깁니다. 물음에 답하세요.

하은이는 수 카드 12와 5, 지호는 7과 13을 뽑았습니다. 이긴 사람은 누구일까요?

차를 구할 때는 큰 수에서 작은 수를 빼야 합니다.

(   )

예준이는 수 카드 9와 15를 뽑았습니다. 시우가 이기기 위해 뽑아야 하는 나머지 수 카드는 무엇일까요?

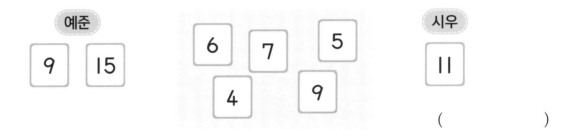

(   )

하윤이는 수 카드 13과 8을 뽑았습니다. 지아가 이기기 위해 뽑아야 하는 나머지 수 카드는 무엇일까요?

하윤
13 8

16 12 14
11 13

지아
9

(   )

46 일 덧셈표와 뺄셈표

덧셈표를 보고 빈칸에 알맞은 수를 써넣으세요.

+	1	2	3	4	5	6	7	8	9
1	2 (1+1)	3 (1+2)	4 (1+3)	5	6	7	8	9	10
2	3 (2+1)	4 (2+2)	5 (2+3)	6	7			10	11
3	4 (3+1)	5 (3+2)	6 (3+3)			10	11	12	
4	5	6	7	8			11	12	13
5	6			9	10	11	12	13	14
6	7				11	12	13	14	
7	8	9			12	13	14		
8	9	10	11	12	13	14			
9	10	11	12	13	14				

7+5와 5+ ☐ 의 결과는 같습니다.

합이 17인 것은 ☐ + ☐ , ☐ + ☐ 입니다.

🪨 뺄셈표를 보고 빈칸에 알맞은 수를 써넣으세요.

−	10	11	12	13	14	15	16	17	18
1	10−1 9								
2	10−2 8	11−2 9							
3	10−3 7	11−3 8	12−3 9						
4	6	7		9					
5	5				9				
6	4	5		7		9			
7	3	4	5			8			
8	2	3			6	7			
9	1	2	3	4	5	6			

11−3과 12−□ 의 결과는 같습니다.

차가 2인 것은 □−□ , □−□ 입니다.

식 만들기

수 카드 중 **3**장을 골라 써넣어 덧셈식과 뺄셈식을 하나씩 만들어 보세요.

9 8
13 3 12

$9 + 3 = 12$ $12 - 3 = 9$

15 8
5 13 6

$\square + \square = \square$ $\square - \square = \square$

5 6
6 11 13

$\square + \square = \square$ $\square - \square = \square$

16 15
6 7 8

$\square + \square = \square$ $\square - \square = \square$

수 카드 중 **3**장을 골라 써넣어 덧셈식과 뺄셈식을 하나씩 만들어 보세요.

| 6 | 12 |
| 14 | 5 | 8 |

□ + □ = □   □ − □ = □

| 11 | 12 |
| 2 | 4 | 9 |

□ + □ = □   □ − □ = □

| 18 | 9 |
| 8 | 9 | 16 |

□ + □ = □   □ − □ = □

| 6 | 12 |
| 4 | 13 | 8 |

□ + □ = □   □ − □ = □

📘 빈칸에 알맞은 수를 써넣으세요.

가지가 **9**개, 당근이 **6**개 있습니다.

채소는 모두 [ ]개 있습니다.

$$\boxed{9} + \boxed{} = \boxed{}$$

채소 **15**개 중에 가지가 [ ]개 있으므로

당근은 [ ]개 있습니다.

$$\boxed{} - \boxed{} = \boxed{}$$

가지는 [ ]개, 당근은 [ ]개 있습니다.

가지는 당근보다 [ ]개 더 많습니다.

$$\boxed{} - \boxed{} = \boxed{}$$

🔖 그림을 보고 덧셈식과 뺄셈식을 하나씩 만들어 보세요.

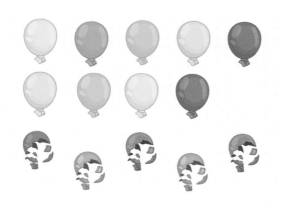

터지지 않은 풍선: 9개
터진 풍선: 5개
전체 풍선: 14개

☐ + ☐ = ☐

☐ − ☐ = ☐

☐ + ☐ = ☐

☐ − ☐ = ☐

☐ + ☐ = ☐

☐ − ☐ = ☐

물음에 답하세요.

먹고 남은 사과는 몇 개일까요?

> 사과가 14개 있었는데 6개
> 먹어서 8개 남았습니다.

식 $14 - 6 = 8$ 답   8   개

처음에 사과는 모두 몇 개 있었을까요?

식   답   개

먹은 사과는 몇 개일까요?

식   답   개

📘 물음에 답하세요.

종이배와 종이학은 모두 몇 개일까요?

식 _____ 답 _____ 개

종이비행기는 종이학보다 몇 개 더 많을까요?

식 _____ 답 _____ 개

종이비행기는 종이배보다 몇 개 더 많을까요?

식 _____ 답 _____ 개

연속 덧셈과 뺄셈

빈 곳에 알맞은 수를 써넣으세요.

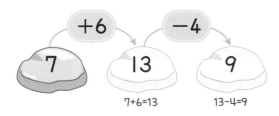

7+6=13   13-4=9

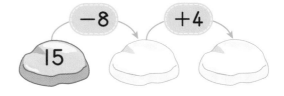

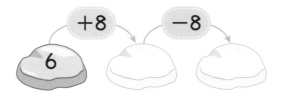

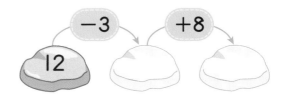

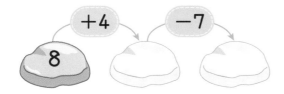

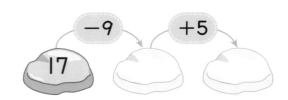

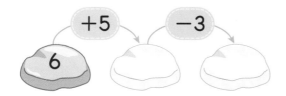

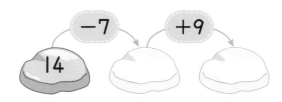

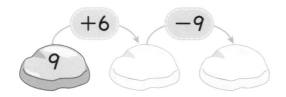

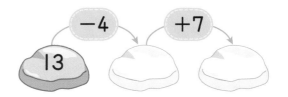

📗 ⭐과 🔵은 어떤 수를 나타냅니다. 빈칸에 알맞은 수를 써넣으세요.

$8 + 7 = $ ⭐ (15)

⭐ (15) $ - 6 = $ 🔵 (9)

🔵 (9) $ + 3 = \boxed{12}$

$9 + 3 = $ ⭐

⭐ $ - 4 = $ 🔵

🔵 $ + 7 = \boxed{}$

$7 + 6 = $ ⭐

⭐ $ - 8 = $ 🔵

🔵 $ + 6 = \boxed{}$

$11 - 5 = $ ⭐

⭐ $ + 6 = $ 🔵

🔵 $ - 8 = \boxed{}$

$15 - 6 = $ ⭐

⭐ $ + 4 = $ 🔵

🔵 $ - 6 = \boxed{}$

$12 - 7 = $ ⭐

⭐ $ + 9 = $ 🔵

🔵 $ - 5 = \boxed{}$

■ 물음에 답하세요.

성우는 사탕을 **8**개 가지고 있습니다. 민아는 성우보다 **3**개 더 가지고 있고 시유는 민아보다 **5**개 적게 가지고 있습니다. 시유가 가진 사탕은 몇 개일까요?

성우: 8개
민아: 8+3=11(개)
시유: 11-5=6(개)

(   )개

윤서네 집에 귤이 **12**개 있었습니다. 윤서가 귤 **6**개를 먹고 어머니께서 귤 **9**개를 더 사오셨습니다. 윤서네 집에 있는 귤은 몇 개일까요?

(   )개

지성이는 색종이 **13**장을 가지고 있었습니다. 이 중에서 **4**장을 동생에게 주고 **7**장을 더 샀습니다. 지성이가 가지고 있는 색종이는 몇 장일까요?

(   )장

운동장에 남학생이 **9**명, 여학생이 **7**명 있습니다. 이 중에서 모자를 쓴 학생은 **8**명입니다. 모자를 쓰지 않은 학생은 몇 명일까요?

(   )명

하루 한 장 75일
집중 완성

교과
연산

연산원리 상황판단 복합사고 문제해결

초1

A2

받아올림이 있는 한 자리 수의 계산

HERO

정답

정답

26 가르기 하여 더하기 (1)

월 일

뒤의 수를 가르기 하여 10을 만들어 덧셈을 해 보세요.

$8 + 3 = 11$ 8+2+1=11

2   1

앞의 수와 더해서 10이 되도록
뒤의 수를 가르기 합니다.

$9 + 5 = 14$ 9+1+4=14

1   4

$6 + 6 = 12$ 6+4+2=12

4   2

덧셈을 해 보세요.

$9 + 3 = 12$
1   2

$7 + 6 = 13$

$9 + 7 = 16$

$7 + 4 = 11$

$8 + 7 = 15$

$9 + 2 = 11$

$8 + 8 = 16$

$6 + 5 = 11$
4   1

$8 + 4 = 12$

$8 + 5 = 13$

$9 + 6 = 15$

$7 + 5 = 12$

$8 + 6 = 14$

$9 + 5 = 14$

27 가르기 하여 더하기 (2)

월 일

앞의 수를 가르기 하여 10을 만들어 덧셈을 해 보세요.

$5 + 9 = 14$ 4+1+9=14

4   1

뒤의 수와 더해서 10이 되도록
앞의 수를 가르기 합니다.

$4 + 8 = 12$ 2+2+8=12

2   2

$7 + 7 = 14$ 4+3+7=14

4   3

덧셈을 해 보세요.

$3 + 9 = 12$
2   1

작은 수를 가르기 하여 10을
만드는 것이 편리합니다.

$5 + 7 = 12$

$5 + 6 = 11$

$7 + 9 = 16$

$6 + 7 = 13$

$9 + 9 = 18$

$7 + 4 = 11$

$5 + 8 = 13$
3   2

$6 + 9 = 15$

$4 + 8 = 12$

$6 + 8 = 14$

$5 + 6 = 11$

$7 + 8 = 15$

$8 + 9 = 17$

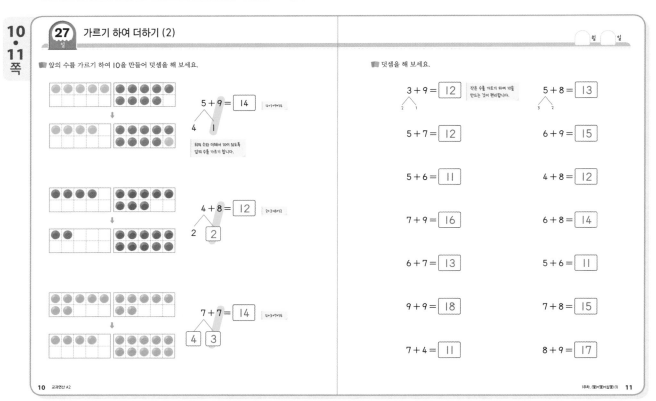

28 10 만들어 더하기

월 일

☞ 빈칸에 알맞은 수를 써넣으세요.

$9+3=9+\boxed{1}+2$
$\quad\;=\boxed{10}+2$
$\quad\;=\boxed{12}$

작은 수를 두 수로 가르기 하여 10을 만듭니다.

$7+6=7+\boxed{3}+3$
$\quad\;=\boxed{10}+3$
$\quad\;=\boxed{13}$

$8+7=8+2+\boxed{5}$
$\quad\;=10+\boxed{5}$
$\quad\;=\boxed{15}$

$6+5=6+4+\boxed{1}$
$\quad\;=10+\boxed{1}$
$\quad\;=\boxed{11}$

또는
$7+7=7+\boxed{3}+\boxed{4}$
$\quad\;=\boxed{10}+4$
$\quad\;=\boxed{14}$

또는
$9+8=9+\boxed{1}+\boxed{7}$
$\quad\;=\boxed{10}+7$
$\quad\;=\boxed{17}$

☞ 빈칸에 알맞은 수를 써넣으세요.

$5+7=2+\boxed{3}+7$
$\quad\;=2+\boxed{10}$
$\quad\;=\boxed{12}$

$6+8=4+\boxed{2}+8$
$\quad\;=4+\boxed{10}$
$\quad\;=\boxed{14}$

$4+9=\boxed{3}+1+9$
$\quad\;=\boxed{3}+10$
$\quad\;=\boxed{13}$

$8+8=\boxed{6}+2+8$
$\quad\;=\boxed{6}+10$
$\quad\;=\boxed{16}$

또는
$4+7=\boxed{1}+\boxed{3}+7$
$\quad\;=1+\boxed{10}$
$\quad\;=\boxed{11}$

또는
$7+9=\boxed{6}+\boxed{1}+9$
$\quad\;=6+\boxed{10}$
$\quad\;=\boxed{16}$

---

 29 연속 덧셈

월 일

☞ 덧셈을 해 보세요.

$5+6=\boxed{11}$
$5+7=\boxed{12}$
$5+8=\boxed{13}$
$5+9=\boxed{14}$

더하는 수가 1씩 커지면 합도 1씩 커집니다.

$4+9=\boxed{13}$
$5+9=\boxed{14}$
$6+9=\boxed{15}$
$7+9=\boxed{16}$

더해지는 수가 1씩 커지면 합도 1씩 커집니다.

$3+9=\boxed{12}$
$4+8=\boxed{12}$
$5+7=\boxed{12}$
$6+6=\boxed{12}$
$7+5=\boxed{12}$

$8+3=\boxed{11}$
$7+4=\boxed{11}$
$6+5=\boxed{11}$
$5+6=\boxed{11}$
$4+7=\boxed{11}$

앞의 더해지는 수가 1 커지고
뒤의 더하는 수가 1 작아지면 합은 같습니다.

☞ 덧셈을 해 보세요.

+	4	5	6
8	12 8+4	13 8+5	14 8+6

+	5	6	7
5	10	11	12

+	6	7	8
7	13	14	15

+	2	3	4
9	11	12	13

+	6	7	8
6	12	13	14

+	7	8	9
8	15	16	17

+	5	6	7
9	14	15	16

+	7	8	9
4	11	12	13

정답

30일 합이 같은 덧셈식

16·17쪽

월 일

■ 합이 □ 안의 수인 덧셈식에 모두 ○표 하세요.

■ 빈칸에 알맞은 수를 써넣으세요.

11 — ⊙9+2 8+5 ⊙4+7 ⊙6+5 ⊙7+6 3+9

13 — 8+3 ⊙6+7 9+3 ⊙5+8 ⊙7+7 ⊙4+9

16 — ⊙8+7 7+6 ⊙9+7 ⊙8+9 ⊙8+8 ⊙7+9

14 — ⊙7+7 9+4 ⊙7+8 ⊙8+6 6+7 ⊙5+9

$9 + 4 = 13$
$8 + 5 = 13$
$7 + \boxed{6} = 13$
$6 + \boxed{7} = 13$

$4 + 8 = 12$
$5 + 7 = 12$
$6 + \boxed{6} = 12$
$7 + \boxed{5} = 12$

$9 + 6 = 15$
$\boxed{8} + 7 = 15$
$7 + \boxed{8} = 15$
$\boxed{6} + 9 = 15$

$6 + 8 = 14$
$7 + \boxed{7} = 14$
$\boxed{8} + 6 = 14$
$9 + \boxed{5} = 14$

16 교과연산 A2

1주차. (몇)+(몇)=(십몇) (1) 17

18쪽

■ 두 덧셈식의 합이 같습니다. 빈칸에 알맞은 수를 써넣으세요.

$7 + 4$ | $6 + \boxed{5}$
7+4=11   6+5=11

앞의 수가 1 작아졌으므로
뒤의 수가 1 커지면 합이 같습니다.

$8 + 7$ | $7 + \boxed{8}$

$6 + 8$ | $\boxed{7} + 7$

$4 + 9$ | $\boxed{5} + 8$

$7 + 7$ | $8 + \boxed{6}$

$8 + 4$ | $9 + \boxed{3}$

$9 + 5$ | $\boxed{8} + 6$

$9 + 7$ | $\boxed{8} + 8$

$3 + 8$ | $5 + \boxed{6}$

$7 + 5$ | $5 + \boxed{7}$

18 교과연산 A2

4 교과연산 A2

31 가르기 하여 빼기 (1)

📖 뒤의 수를 가르기 하여 10을 만들어 뺄셈을 해 보세요.

$11 - 4 = \boxed{7}$ 11-1-3=7

1   3

앞의 수에서 빼서 10이 되도록
뒤의 수를 가르기 합니다.

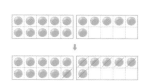

$16 - 7 = \boxed{9}$ 16-6-1=9

$\boxed{6}$ 1

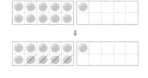

$15 - 9 = \boxed{6}$ 15-5-4=6

$\boxed{5}$ $\boxed{4}$

📖 뺄셈을 해 보세요.

$12 - 4 = \boxed{8}$ 2 2

$13 - 8 = \boxed{5}$ 3 5

$14 - 5 = \boxed{9}$

$11 - 3 = \boxed{8}$

$12 - 5 = \boxed{7}$

$14 - 8 = \boxed{6}$

$11 - 5 = \boxed{6}$

$13 - 9 = \boxed{4}$

$15 - 6 = \boxed{9}$

$12 - 7 = \boxed{5}$

$13 - 7 = \boxed{6}$

$11 - 9 = \boxed{2}$

$16 - 8 = \boxed{8}$

$14 - 7 = \boxed{7}$

32 가르기 하여 빼기 (2)

📖 앞의 수를 가르기 하여 10을 만들어 뺄셈을 해 보세요.

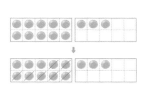

$11 - 4 = \boxed{7}$ 10-4+1=7

10   1

앞의 수를 10과 몇으로 가르기 한 다음
10에서 뒤의 수를 먼저 뺍니다.

$13 - 7 = \boxed{6}$ 10-7+3=6

10    $\boxed{3}$

$14 - 9 = \boxed{5}$ 10-9+4=5

$\boxed{10}$ $\boxed{4}$

📖 뺄셈을 해 보세요.

$15 - 7 = \boxed{8}$ 앞의 수 또는 뒤의 수를 가르기
하여 뺄셈을 할 수 있습니다.

10 5

$17 - 8 = \boxed{9}$ 10 7

$14 - 8 = \boxed{6}$

$12 - 7 = \boxed{5}$

$11 - 9 = \boxed{2}$

$13 - 5 = \boxed{8}$

$15 - 6 = \boxed{9}$

$16 - 8 = \boxed{8}$

$11 - 5 = \boxed{6}$

$13 - 9 = \boxed{4}$

$12 - 8 = \boxed{4}$

$14 - 7 = \boxed{7}$

$13 - 6 = \boxed{7}$

$18 - 9 = \boxed{9}$

33 10 만들어 빼기

📖 빈칸에 알맞은 수를 써넣으세요.

$13 - 5 = 13 - \boxed{3} - 2$
$\quad\quad = \boxed{10} - 2$
$\quad\quad = \boxed{8}$

$11 - 4 = 11 - \boxed{1} - 3$
$\quad\quad = \boxed{10} - 3$
$\quad\quad = \boxed{7}$

알의 수와 빼서 10이 되도록 위의 수를 가르기 합니다.

$12 - 8 = 12 - \boxed{2} - 6$
$\quad\quad = \boxed{10} - 6$
$\quad\quad = \boxed{4}$

$12 - 6 = 12 - 2 - \boxed{4}$
$\quad\quad = 10 - \boxed{4}$
$\quad\quad = \boxed{6}$

$14 - 9 = 14 - 4 - \boxed{5}$
$\quad\quad = 10 - \boxed{5}$
$\quad\quad = \boxed{5}$

$18 - 9 = 18 - 8 - \boxed{1}$
$\quad\quad = 10 - \boxed{1}$
$\quad\quad = \boxed{9}$

📖 빈칸에 알맞은 수를 써넣으세요.

$12 - 3 = 10 - 3 + \boxed{2}$
$\quad\quad = 7 + \boxed{2}$
$\quad\quad = \boxed{9}$

$15 - 7 = 10 - 7 + \boxed{5}$
$\quad\quad = 3 + \boxed{5}$
$\quad\quad = \boxed{8}$

알의 수를 10과 몇로 가르기 합니다.

$13 - 6 = 10 - 6 + \boxed{3}$
$\quad\quad = 4 + \boxed{3}$
$\quad\quad = \boxed{7}$

$11 - 8 = \boxed{10} - 8 + 1$
$\quad\quad = \boxed{2} + 1$
$\quad\quad = \boxed{3}$

$12 - 7 = \boxed{10} - 7 + 2$
$\quad\quad = \boxed{3} + 2$
$\quad\quad = \boxed{5}$

$14 - 8 = \boxed{10} - 8 + 4$
$\quad\quad = \boxed{2} + 4$
$\quad\quad = \boxed{6}$

34 연속 뺄셈

📖 뺄셈을 해 보세요.

$12 - 3 = \boxed{9}$
$12 - 4 = \boxed{8}$
$12 - 5 = \boxed{7}$
$12 - 6 = \boxed{6}$

$13 - 9 = \boxed{4}$
$13 - 8 = \boxed{5}$
$13 - 7 = \boxed{6}$
$13 - 6 = \boxed{7}$

빼는 수가 1씩 커지면 차는 1씩 작아집니다.

빼는 수가 1씩 작아지면 차는 1씩 커집니다.

$14 - 5 = \boxed{9}$
$15 - 6 = \boxed{9}$
$16 - 7 = \boxed{9}$
$17 - 8 = \boxed{9}$
$18 - 9 = \boxed{9}$

$15 - 8 = \boxed{7}$
$14 - 7 = \boxed{7}$
$13 - 6 = \boxed{7}$
$12 - 5 = \boxed{7}$
$11 - 4 = \boxed{7}$

알의 빼지는 수와 위의 빼는 수를 똑같이 크게 하면 차는 변하지 않습니다.

📖 뺄셈을 해 보세요.

−	3	4	5
11	8 11-3	7 11-4	6 11-5

−	7	8	9
13	6	5	4

−	6	7	8
15	9	8	7

−	5	6	7
12	7	6	5

−	7	8	9
16	9	8	7

−	6	7	8
14	8	7	6

−	6	7	8
11	5	4	3

−	7	8	9
12	5	4	3

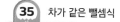 **35** 차가 같은 뺄셈식

📋 차가 ⬜ 안의 수인 뺄셈식에 모두 ◯표 하세요.

9 | (12-3) 15-7 (18-9) 11-3 (17-8) 14-7

4 | 11-5 14-9 (11-7) (13-9) 12-7 (12-8)

7 | (14-7) 16-8 (15-8) 13-7 11-3 (12-5)

5 | 12-9 (11-6) (13-8) 11-5 (12-7) 14-8

📋 빈칸에 알맞은 수를 써넣으세요.

$$14 - 7 = 7$$
$$13 - 6 = 7$$
$$12 - \boxed{5} = 7$$
$$11 - \boxed{4} = 7$$

$$13 - 4 = 9$$
$$14 - 5 = 9$$
$$15 - \boxed{6} = 9$$
$$16 - \boxed{7} = 9$$

$$15 - 9 = 6$$
$$14 - \boxed{8} = 6$$
$$\boxed{13} - 7 = 6$$
$$12 - \boxed{6} = 6$$

$$14 - 6 = 8$$
$$\boxed{15} - 7 = 8$$
$$16 - \boxed{8} = 8$$
$$\boxed{17} - 9 = 8$$

📋 두 뺄셈식의 차가 같습니다. 빈칸에 알맞은 수를 써넣으세요.

12 - 3	13 - $\boxed{4}$
12-3=9	13-4=9

앞의 수가 1 커졌으므로
뒤의 수도 1 커지면 차가 같습니다.

| 14 - 8 | 15 - $\boxed{9}$ |

| 13 - 7 | $\boxed{14}$ - 8 |

| 11 - 6 | $\boxed{12}$ - 7 |

| 16 - 9 | 15 - $\boxed{8}$ |

| 12 - 4 | 11 - $\boxed{3}$ |

| 13 - 8 | $\boxed{12}$ - 7 |

| 18 - 9 | $\boxed{17}$ - 8 |

| 12 - 6 | 14 - $\boxed{8}$ |

| 13 - 7 | 11 - $\boxed{5}$ |

32·33쪽

36 식 만들기

■ 세 수를 모두 이용하여 덧셈식 2개를 만들어 보세요.

9
11 2

$9 + 2 = 11$ $2 + 9 = 11$

두 수를 바꾸어 더해도 결과는 같습니다.

8
5 13

$8 + 5 = 13$ $5 + 8 = 13$

15
6 9

$6 + 9 = 15$ $9 + 6 = 15$

6
14 8

$6 + 8 = 14$ $8 + 6 = 14$

■ 오른쪽 또는 아래로 덧셈식이 되는 세 수를 모두 찾아 아래와 같이 묶어 보세요.

34·35쪽

37 커지는 합

■ 합이 작은 것부터 차례로 점을 이어 보세요.

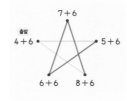

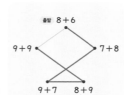

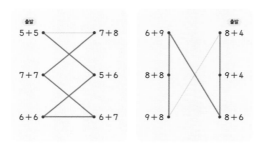

■ 규칙을 찾아 빈 곳에 알맞은 식과 수를 써넣으세요.

5+4	5+5	5+6
9	10	11
6+4	6+5	6+6
10	11	12
7+4	7+5	7+6
11	12	13

6+5	6+6	6+7
11	12	13
7+5	7+6	7+7
12	13	14
8+5	8+6	8+7
13	14	15

3+7	3+8	3+9
10	11	12
4+7	4+8	4+9
11	12	13
5+7	5+8	5+9
12	13	14

7+7	7+8	7+9
14	15	16
8+7	8+8	8+9
15	16	17
9+7	9+8	9+9
16	17	18

38 큰 합, 작은 합

📋 합이 가장 큰 식에 ◯표, 가장 작은 식에 △표 하세요.

8+4	8+5
◯8+6	△8+3

△6+5	◯7+7
6+7	6+6

◯9+8	8+7
8+8	△6+8

7+6	△6+5
◯6+8	4+8

4+9	△7+5
7+7	◯9+6

8+6	6+9
△9+4	◯8+8

📋 수 카드 중 2장을 골라 써넣어 합이 가장 큰 식을 만들고 계산해 보세요.

| 2 | 4 | 5 | 8 |

[5] + [8] = 13

작아는 두 수가 클수록 합이 커집니다.

| 6 | 3 | 4 | 9 |

[6] + [9] = 15
또는 9   6

| 7 | 8 | 6 | 4 |

[7] + [8] = 15
또는 8   7

| 7 | 9 | 5 | 8 |

[9] + [8] = 17
또는 8   9

| 4 | 5 | 3 | 6 |

[5] + [6] = 11
또는 6   5

| 6 | 5 | 3 | 8 |

[6] + [8] = 14
또는 8   6

---

39 이야기하기 (1)

📋 물음에 답하세요.

바둑돌은 모두 몇 개일까요?

흰 바둑돌이 5개, 검은 바둑돌이 7개 있습니다. 바둑돌은 모두 12개입니다.

식 [5] + [7] = [12]   답 [12] 개

색종이는 모두 몇 장일까요?

식 [7] + [8] = [15]   답 [15] 장
또는 8   7

구슬은 모두 몇 개일까요?

식 [7] + [9] = [16]   답 [16] 개
또는 9   7

📋 물음에 답하세요.

달걀은 모두 몇 개일까요?

식 [7] + [4] = [11]   답 [11] 개
또는 4   7

참새는 모두 몇 마리일까요?

식 [6] + [6] = [12]   답 [12] 마리

교실에 있는 남학생과 여학생 수입니다. 교실에 있는 학생은 모두 몇 명일까요?

남학생	여학생
8명	9명

식 [8] + [9] = [17]   답 [17] 명
또는 9   8

40 이야기하기 (2)

월 일

📖 물음에 답하세요.

버스에 9명이 타고 있었는데 7명이 더 탔습니다. 버스에 타고 있는 사람은 모두 몇 명일까요?

9명이 탄 버스에 7명이 더 탔으므로 버스에 탄 사람은 모두 16명입니다.

식 $9 + 7 = 16$ 답 16 명

민서는 색종이 3장을 가지고 있었는데 8장을 더 샀습니다. 민서가 가지고 있는 색종이는 모두 몇 장일까요?

식 $3 + 8 = 11$ 답 11 장

노란색 색연필이 6자루, 파란색 색연필이 7자루 있습니다. 색연필은 모두 몇 자루 있을까요?

식 $6 + 7 = 13$ 답 13 자루
또는 $7 + 6 = 13$

바구니에 귤이 8개 담겨 있습니다. 귤 4개를 더 담는다면 바구니에 있는 귤은 모두 몇 개일까요?

식 $8 + 4 = 12$ 답 12 개

📖 물음에 답하세요.

승진이는 사탕 6개를 가지고 있고 하민이는 승진이보다 6개 더 많이 가지고 있습니다. 하민이가 가진 사탕은 몇 개일까요?

식 $6 + 6 = 12$ 답 12 개

개미의 다리는 6개, 거미의 다리는 8개입니다. 개미와 거미의 다리는 모두 몇 개일까요?

식 $6 + 8 = 14$ 답 14 개
또는 $8 + 6 = 14$

초 4개에 불이 붙어 있는데 7개에 불을 더 붙였습니다. 불이 붙어 있는 초는 모두 몇 개일까요?

식 $4 + 7 = 11$ 답 11 개

우영이는 수 카드 2장을 가지고 있는데 모두 8이 적혀 있습니다. 수 카드에 적힌 수의 합은 얼마일까요?

식 $8 + 8 = 16$ 답 16

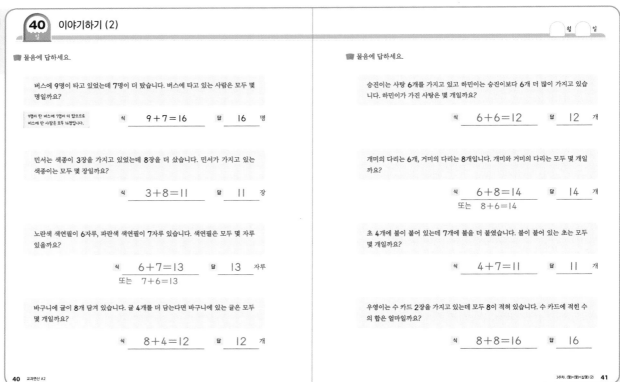

📖 수 카드 2장에 적힌 수의 합이 큰 사람이 이깁니다. 물음에 답하세요.

준서는 수 카드 7과 6, 민호는 5와 9를 뽑았습니다. 이긴 사람은 누구일까요?

준서 7 6   민호 5 9

준서: $7 + 6 = 13$ (민호)
민호: $5 + 9 = 14$

하음이는 수 카드 6과 8을 뽑았습니다. 연지가 이기기 위해 뽑아야 하는 나머지 수 카드는 무엇일까요?

하음 6 8   5 7 6 9 4   연지 7

하음: $6 + 8 = 14$ (9)
연지: $7 + 9 = 16$

은재는 수 카드 5와 7을 뽑았습니다. 다연이가 이기기 위해 뽑아야 하는 나머지 수 카드는 무엇일까요?

은재 5 7   2 1 4 5 3   다연 8

은재: $5 + 7 = 12$ (5)
다연: $8 + 5 = 13$

41 식 만들기

월 일

■ 세 수를 모두 이용하여 뺄셈식 2개를 만들어 보세요.

12
5 7

$12 - 5 = 7$ $12 - 7 = 5$

빼는 수와 결과를 바꾸어도 식을 만들 수 있습니다.

8
3 11

$11 - 8 = 3$ $11 - 3 = 8$

4
13 9

$13 - 4 = 9$ $13 - 9 = 4$

8
6 14

$14 - 8 = 6$ $14 - 6 = 8$

■ 오른쪽 또는 아래로 뺄셈식이 되는 세 수를 모두 찾아 아래와 같이 묶어 보세요.

$13 - 4 = 9$			12	8
3	$11 - 7 = 4$		13	
15	2	12	−	
−			4	
6	8	5	=	
=			9	
9	$16 - 8 = 8$			2

12	9	$13 - 5 = 8$		
−				
6	11	8	14	12
	−		−	
	5		5	4
13	6	6	5	7
$15 - 7 = 8$			13	5

42 커지는 차

월 일

■ 차가 작은 것부터 차례로 점을 이어 보세요.

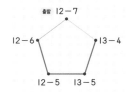

출발 12−7
12−6   13−4
12−5 13−5

13−7
12−8   출발 11−8
13−6 12−7

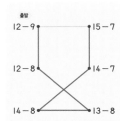

출발 12−9   15−7
12−8   14−7
14−8   13−8

출발 11−8   11−9
11−6   13−9
16−9   14−8

■ 규칙을 찾아 빈 곳에 알맞은 식과 수를 써넣으세요.

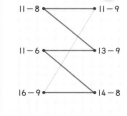

11−4	11−5	11−6
7	6	5
12−4	12−5	12−6
8	7	6
13−4	13−5	13−6
9	8	7

12−6	12−7	12−8
6	5	4
13−6	13−7	13−8
7	6	5
14−6	14−7	14−8
8	7	6

11−7	11−8	11−9
4	3	2
12−7	12−8	12−9
5	4	3
13−7	13−8	13−9
6	5	4

14−7	14−8	14−9
7	6	5
15−7	15−8	15−9
8	7	6
16−7	16−8	16−9
9	8	7

정답

43강 큰 차, 작은 차

월 일

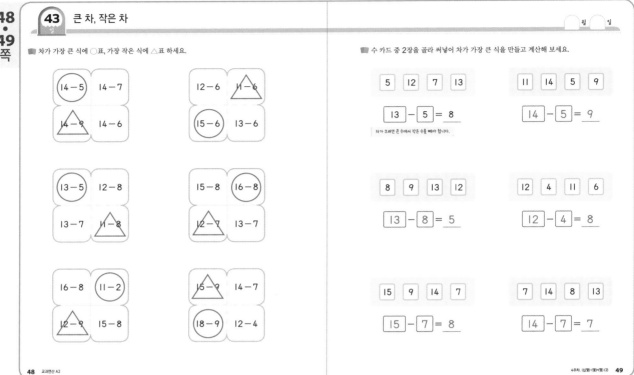

■ 차가 가장 큰 식에 ◯표, 가장 작은 식에 △표 하세요.

◯ 14 − 5   14 − 7
△ 14 − 9   14 − 6

12 − 6   △ 11 − 6
◯ 15 − 6   13 − 6

◯ 13 − 5   12 − 8
13 − 7   △ 11 − 8

15 − 8   ◯ 16 − 8
△ 12 − 7   13 − 7

16 − 8   ◯ 11 − 2
△ 12 − 9   15 − 8

△ 15 − 9   14 − 7
◯ 18 − 9   12 − 4

■ 수 카드 중 2장을 골라 써넣어 차가 가장 큰 식을 만들고 계산해 보세요.

5 12 7 13
13 − 5 = 8
차가 크려면 큰 수에서 작은 수를 빼야 합니다.

11 14 5 9
14 − 5 = 9

8 9 13 12
13 − 8 = 5

12 4 11 6
12 − 4 = 8

15 9 14 7
15 − 7 = 8

7 14 8 13
14 − 7 = 7

48 교과연산 A2   4주차. (십몇)−(몇)+(몇) (2) 49

44강 이야기하기 (1)

월 일

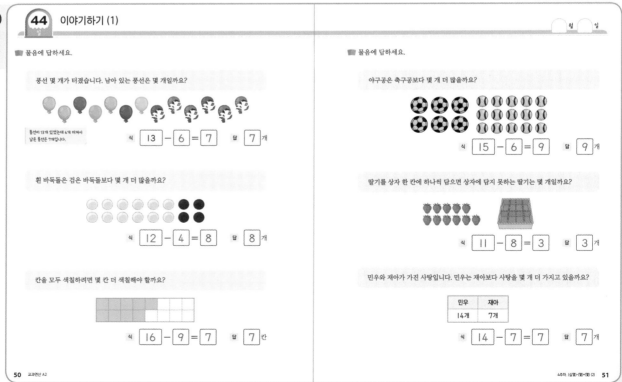

■ 물음에 답하세요.

풍선 몇 개가 터졌습니다. 남아 있는 풍선은 몇 개일까요?

풍선이 13개 있었는데 6개 터져서 남은 풍선은 7개입니다.

식 13 − 6 = 7   답 7 개

흰 바둑돌은 검은 바둑돌보다 몇 개 더 많을까요?

식 12 − 4 = 8   답 8 개

칸을 모두 색칠하려면 몇 칸 더 색칠해야 할까요?

식 16 − 9 = 7   답 7 칸

■ 물음에 답하세요.

야구공은 축구공보다 몇 개 더 많을까요?

식 15 − 6 = 9   답 9 개

딸기를 상자 한 칸에 하나씩 담으면 상자에 담지 못하는 딸기는 몇 개일까요?

식 11 − 8 = 3   답 3 개

민우와 재아가 가진 사탕입니다. 민우는 재아보다 사탕을 몇 개 더 가지고 있을까요?

민우	재아
14개	7개

식 14 − 7 = 7   답 7 개

50 교과연산 A2   4주차. (십몇)−(몇)+(몇) (2) 51

45 이야기하기 (2)

📖 물음에 답하세요.

은재는 초콜릿 12개 중 3개를 먹었습니다. 남아 있는 초콜릿은 몇 개일까요?

초콜릿 12개 중 3개를 먹었으므로
남아 있는 초콜릿은 9개입니다.

식 __12－3＝9__   답 __9__ 개

13명이 탈 수 있는 보트에 7명이 타고 있습니다. 보트에 몇 명 더 탈 수 있을까요?

식 __13－7＝6__   답 __6__ 명

지은이는 색연필 11자루를 가지고 있었는데 4자루를 친구에게 주었습니다. 지은이에게 남은 색연필은 몇 자루일까요?

식 __11－4＝7__   답 __7__ 자루

해수는 밤을 14개 땄고 진영이는 8개 땄습니다. 해수는 진영이보다 밤을 몇 개 더 땄을까요?

식 __14－8＝6__   답 __6__ 개

📖 물음에 답하세요.

색종이가 16장 있었는데 몇 장으로 종이비행기를 접었더니 9장 남았습니다. 종이비행기를 접는 데 사용한 색종이는 몇 장일까요?

식 __16－9＝7__   답 __7__ 장

동물원에 원숭이 6마리와 여우 15마리가 있습니다. 여우는 원숭이보다 몇 마리 더 많을까요?

식 __15－6＝9__   답 __9__ 마리

도윤이는 지우개를 12개 가지고 있고 은우는 도윤이보다 7개 적게 가지고 있습니다. 은우가 가진 지우개는 몇 개일까요?

식 __12－7＝5__   답 __5__ 개

지유는 바닥에 타일 18개를 붙이려고 합니다. 지금까지 9개 붙였다면 몇 개 더 붙여야 할까요?

식 __18－9＝9__   답 __9__ 개

📖 수 카드 2장에 적힌 수의 차가 큰 사람이 이깁니다. 물음에 답하세요.

하은이는 수 카드 12와 5, 지호는 7과 13을 뽑았습니다. 이긴 사람은 누구일까요?

차를 구할 때는 큰 수에서
작은 수를 빼야 합니다.

하은: 12－5＝7   (하은)
지호: 13－7＝6

예준이는 수 카드 9와 15를 뽑았습니다. 시우가 이기기 위해 뽑아야 하는 나머지 수 카드는 무엇일까요?

예준 [9] [15]   [6] [7] [5] [4] [9]   **시우** [11]

예준: 15－9＝6   (4)
시우: 11－4＝7

하윤이는 수 카드 13과 8을 뽑았습니다. 지아가 이기기 위해 뽑아야 하는 나머지 수 카드는 무엇일까요?

하윤 [13] [8]   [16] [12] [14] [11] [13]   **지아** [9]

하윤: 13－8＝5   (16)
지아: 16－9＝7

56 · 57 쪽

46 덧셈표와 뺄셈표

📋 덧셈표를 보고 빈칸에 알맞은 수를 써넣으세요.

+	1	2	3	4	5	6	7	8	9
1	1+1 2	1+2 3	1+3 4	5	6	7	8	9	10
2	2+1 3	2+2 4	2+3 5	6	7	8	9	10	11
3	3+1 4	3+2 5	3+3 6	7	8	9	10	11	12
4	5	6	7	8	9	10	11	12	13
5	6	7	8	9	10	11	12	13	14
6	7	8	9	10	11	12	13	14	15
7	8	9	10	11	12	13	14	15	16
8	9	10	11	12	13	14	15	16	17
9	10	11	12	13	14	15	16	17	18

7+5와 5+ 7 의 결과는 같습니다.

합이 17인 것은 8 + 9 , 9 + 8 입니다.

📋 뺄셈표를 보고 빈칸에 알맞은 수를 써넣으세요.

−	10	11	12	13	14	15	16	17	18
1	10−1 9								
2	10−2 8	11−2 9							
3	10−3 7	11−3 8	12−3 9						
4	6	7	8	9					
5	5	6	7	8	9				
6	4	5	6	7	8	9			
7	3	4	5	6	7	8	9		
8	2	3	4	5	6	7	8	9	
9	1	2	3	4	5	6	7	8	9

11−3과 12− 4 의 결과는 같습니다.

차가 2인 것은 10 − 8 , 11 − 9 입니다.

58 · 59 쪽

47 식 만들기

📋 수 카드 중 3장을 골라 써넣어 덧셈식과 뺄셈식을 하나씩 만들어 보세요.

9 8
13 3 12

9 + 3 = 12   12 − 3 = 9

15 8
5 13 6   또는

8 + 5 = 13
5   8

13 − 5 = 8
또는 8   5

5 6
6 11 13   또는

5 + 6 = 11
6   5

11 − 6 = 5
또는 5   6

16 15
6 7 8   또는

7 + 8 = 15
8   7

15 − 8 = 7
또는 7   8

📋 수 카드 중 3장을 골라 써넣어 덧셈식과 뺄셈식을 하나씩 만들어 보세요.

6 12
14 5 8   또는

6 + 8 = 14
8   6

14 − 8 = 6
또는 6   8

11 12
2 4 9   또는

2 + 9 = 11
9   2

11 − 9 = 2
또는 2   9

18 9
8 9 16

9 + 9 = 18   18 − 9 = 9

6 12
4 13 8   또는

4 + 8 = 12
8   4

12 − 8 = 4
또는 4   8

48일 덧셈식과 뺄셈식

月 日

■ 빈칸에 알맞은 수를 써넣으세요.

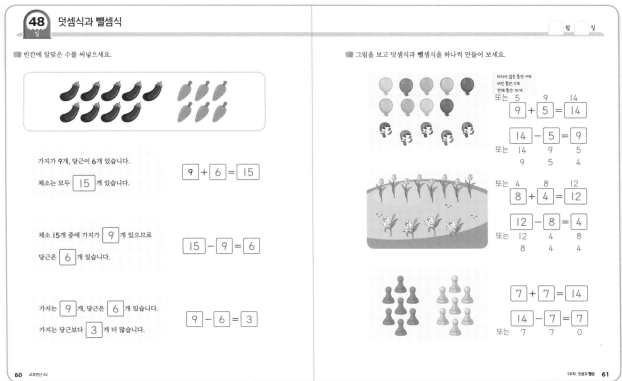

가지가 9개, 당근이 6개 있습니다.

채소는 모두 $\boxed{15}$ 개 있습니다.

$\boxed{9} + \boxed{6} = \boxed{15}$

채소 15개 중에 가지가 $\boxed{9}$ 개 있으므로

당근은 $\boxed{6}$ 개 있습니다.

$\boxed{15} - \boxed{9} = \boxed{6}$

가지는 $\boxed{9}$ 개, 당근은 $\boxed{6}$ 개 있습니다.

가지는 당근보다 $\boxed{3}$ 개 더 많습니다.

$\boxed{9} - \boxed{6} = \boxed{3}$

■ 그림을 보고 덧셈식과 뺄셈식을 하나씩 만들어 보세요.

터지지 않은 풍선 9개
터진 풍선 5개
전체 풍선 14개

또는 5 9 14

$\boxed{9} + \boxed{5} = \boxed{14}$

$\boxed{14} - \boxed{5} = \boxed{9}$

또는 14 9 5
9 5 4

또는 4 8 12

$\boxed{8} + \boxed{4} = \boxed{12}$

$\boxed{12} - \boxed{8} = \boxed{4}$

또는 12 4 8
8 4 4

$\boxed{7} + \boxed{7} = \boxed{14}$

$\boxed{14} - \boxed{7} = \boxed{7}$

또는 7 7 0

49일 이야기하기

月 日

■ 물음에 답하세요.

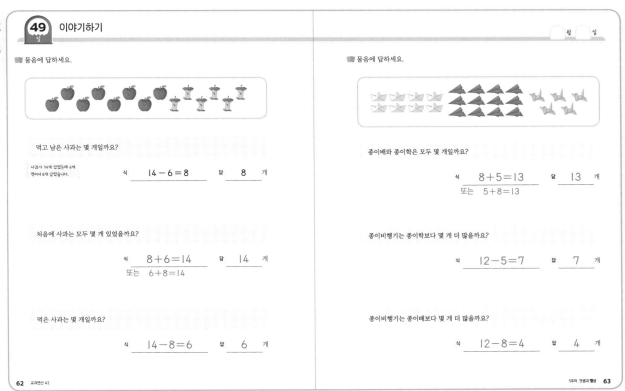

먹고 남은 사과는 몇 개일까요?

사과가 14개 있었는데 6개
먹어서 8개 남았습니다.

식 $14 - 6 = 8$ 답 8 개

처음에 사과는 모두 몇 개 있었을까요?

식 $8 + 6 = 14$ 답 14 개
또는 $6 + 8 = 14$

먹은 사과는 몇 개일까요?

식 $14 - 8 = 6$ 답 6 개

■ 물음에 답하세요.

종이배와 종이학은 모두 몇 개일까요?

식 $8 + 5 = 13$ 답 13 개
또는 $5 + 8 = 13$

종이비행기는 종이학보다 몇 개 더 많을까요?

식 $12 - 5 = 7$ 답 7 개

종이비행기는 종이배보다 몇 개 더 많을까요?

식 $12 - 4 = 8$ 답 4 개

정답

50 연속 덧셈과 뺄셈

월 일

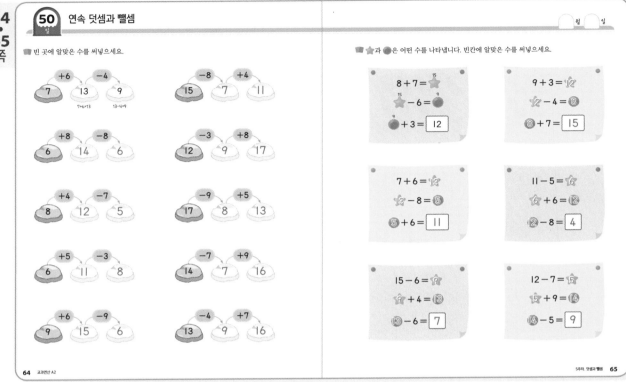

■ 빈 곳에 알맞은 수를 써넣으세요.

7 → +6 → 13 → −4 → 9
7+6=13   13−4=9

15 → −8 → 7 → +4 → 11

6 → +8 → 14 → −8 → 6

12 → −3 → 9 → +8 → 17

8 → +4 → 12 → −7 → 5

17 → −9 → 8 → +5 → 13

6 → +5 → 11 → −3 → 8

14 → −7 → 7 → +9 → 16

9 → +6 → 15 → −9 → 6

13 → −4 → 9 → +7 → 16

■ ☆과 ●은 어떤 수를 나타냅니다. 빈칸에 알맞은 수를 써넣으세요.

$8 + 7 = $ ☆(15)
☆(15) $- 6 = $ ●(9)
●(9) $+ 3 = $ 12

$9 + 3 = $ ☆(12)
☆(12) $- 4 = $ ●(8)
●(8) $+ 7 = $ 15

$7 + 6 = $ ☆(13)
☆(13) $- 8 = $ ●(5)
●(5) $+ 6 = $ 11

$11 - 5 = $ ☆(6)
☆(6) $+ 6 = $ ●(12)
●(12) $- 8 = $ 4

$15 - 6 = $ ☆(9)
☆(9) $+ 4 = $ ●(13)
●(13) $- 6 = $ 7

$12 - 7 = $ ☆(5)
☆(5) $+ 9 = $ ●(14)
●(14) $- 5 = $ 9

■ 물음에 답하세요.

성우는 사탕을 8개 가지고 있습니다. 민아는 성우보다 3개 더 가지고 있고 시유는 민아보다 5개 적게 가지고 있습니다. 시유가 가진 사탕은 몇 개일까요?

성우: 8개
민아: 8+3=11(개)
시유: 11−5=6(개)

민아: $8 + 3 = 11$(개)
시유: $11 - 5 = 6$(개)

(6)개

윤서네 집에 귤이 12개 있었습니다. 윤서가 귤 6개를 먹고 어머니께서 귤 9개를 더 사오셨습니다. 윤서네 집에 있는 귤은 몇 개일까요?

윤서가 먹고 남은 귤: $12 - 6 = 6$(개)
어머니께서 사오신 후: $6 + 9 = 15$(개)

(15)개

지성이는 색종이 13장을 가지고 있었습니다. 이 중에서 4장을 동생에게 주고 7장을 더 샀습니다. 지성이가 가지고 있는 색종이는 몇 장일까요?

동생에게 주고 남은 색종이: $13 - 4 = 9$(장)
더 산 후의 색종이: $9 + 7 = 16$(장)

(16)장

운동장에 남학생이 9명, 여학생이 7명 있습니다. 이 중에서 모자를 쓴 학생은 8명입니다. 모자를 쓰지 않은 학생은 몇 명일까요?

남학생과 여학생: $9 + 7 = 16$(명)
모자를 쓰지 않은 학생: $16 - 8 = 8$(명)

(8)명